Impressum

Verlag: BABADADA GmbH, Nedderfeld 112 , 22529 Hamburg

Geschäftsführer / Verlagsleitung: Harald Hof

Druck: Books on Demand GmbH, In de Tarpen 42, 22848 Norderstedt

Imprint

Publisher: BABADADA GmbH, Nedderfeld 112 , 22529 Hamburg, Germany

Managing Director / Publishing direction: Harald Hof

Print: Books on Demand GmbH, In de Tarpen 42, 22848 Norderstedt, Germany

ښوونځی

escuela

aula
تقسیم
dividir
186/2
د ښوونځي حویلی
patio
بورډ
pizarra
ښوونکی
maestro/a
ورق
papel
لیکل
escribir
قلم
bolígrafo
ډیسک
escritorio
خط کش
regla
کتاب
libro
زده کونکی
alumno/a

کڅوړه

cartera

د پنسل بکسه

caja de lápices

پنسل

lápiz

پنسل تراش

sacapuntas

ربړ

goma de borrar

د رسامی پاڼه

cuaderno de dibujo

رسامي

dibujo

د نقاشۍ برس

pincel

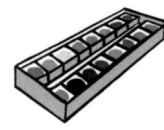

د نقاشۍ بکس

caja de pinturas

قيچي

tijeras

سريښ

pegamento

د تمرين كتاب

cuaderno de ejercicios

کورنۍ دنده

deberes

شمير

número

جمع

sumar

منفي

restar

ضرب

multiplicar

حساب

calcular

توری

letra

الفبا

alfabeto

کلمه

palabra

متن

texto

لوستل

leer

تباشير

tiza

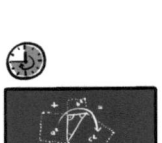

درس

lección

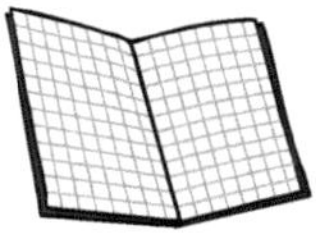

راجستر

cuaderno de notas

ازموينه

examen

تصديق پاڼه

certificado

د ښوونځي يونيفارم

uniforme escolar

تعليم

educación

دايره المعارف

enciclopedia

پوهنتون

universidad

مايكروسكوپ

microscopio

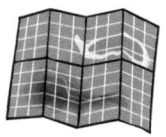

نقشه

mapa

اشغالدانی

papelera

سفر
viaje

هوټل
hotel
لیلیه
albergue
د اسعارو د تبادلې دفتر
oficina de cambio de divisas
بکس
maleta
موټر
coche

ژبه
idioma

هو/نه
sí / no

سمه ده
Vale

سلام
hola

ژباړونکی
traductor

مننه
Gracias

څومره دي...؟

¿cuánto es...?

زه نه پوهېږم

No entiendo

ستونزه

problema

ماښام مو پخير!

¡Buenas tardes!

سهار په خير!

¡Buenos días!

شپه په خير!

¡Buenas noches!

په مخه مو ښه

adiós

لارښود

dirección

سامان

equipaje

بیګ

bolsa

شاتنی بکس

mochila

میلمه

invitado

خونه

habitación

د خوب کڅوړه

saco de dormir

خیمه

tienda de campaña

د توریزم معلومات

información turística

ساحل

playa

کریډیټ کارت

tarjeta de crédito

ناری

desayuno

د غرمې خواړه

almuerzo

د شپې خواړه

cena

ټیکټ

billete

لفټ

ascensor

مهر

sello

پوله

frontera

ګمرک

aduana

سفارت

embajada

ویزه

visa

پاسپورټ

pasaporte

ټرانسپورټ

transporte

الوتکه
avión
barco
د اور ماشین
coche de bomberos
camión
بس
autobús
موټرکښتی
lancha a motor
بایک
bicicleta
coche

کښتی
....
transbordador

کښتی
....
barca

موټرسایکل
....
moto

د پولیسو موټر
....
coche de policía

د ریس موټر
....
coche de carreras

کرایی موټر
....
coche de alquiler

د کرایه موټري

préstamo de vehículos

جرثقیل لرونکی ټرک

grúa

ریفیوز ټرک

camión de la basura

موټر

motor

سونګ توکي

gasolina

پټرول سټیشن

gasolinera

ترافیکي نښه

señal de tráfico

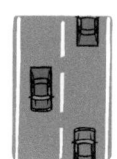

ترافیک

tráfico

جام ترافیک

atasco

د موټرو تمځای

aparcamiento

د ریل سټیشن

estación de tren

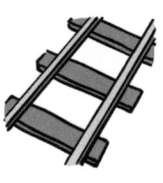

پاټکي

vías

ریل

tren

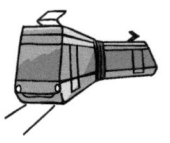

ټرام

tranvía

واګون

vagón

چورلکه

helicóptero

هوايي ډګر

aeropuerto

برج

torre

مسافر

pasajero

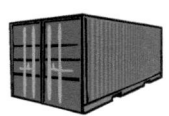

کانټينر

contenedor

کارتون

caja de cartón

کارټ

carretilla

ټوکرۍ

cesta

الوتنه کول/کښېناستل

despegar / aterrizar

ښار

ciudad

کلی

pueblo

د ښار مرکز

centro de ciudad

کور

casa

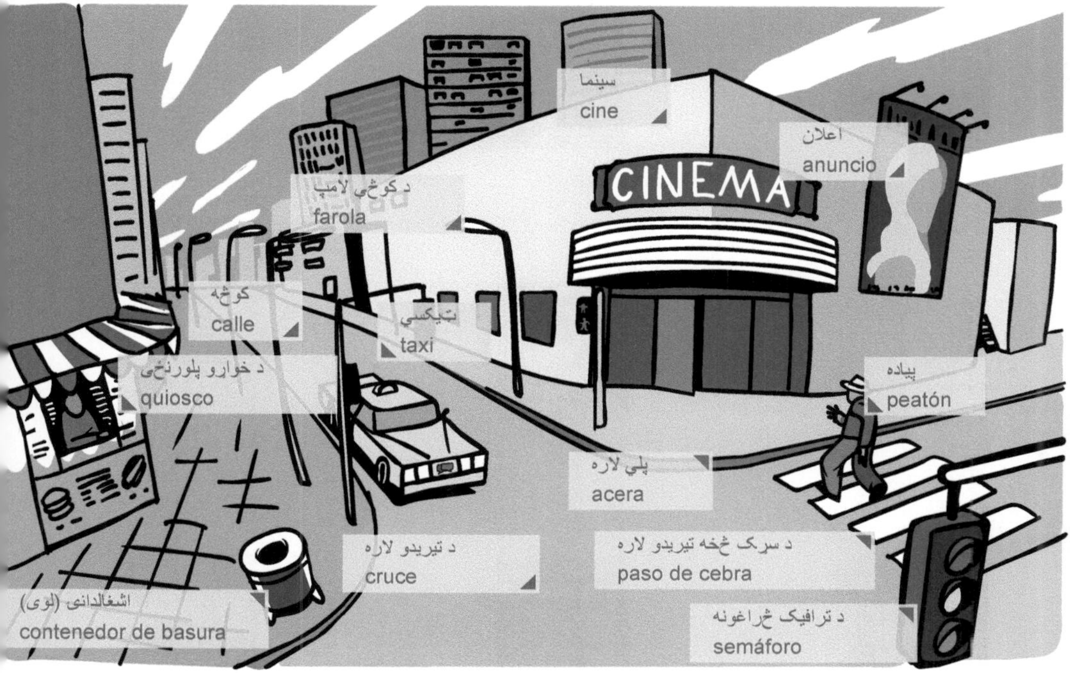

سینما
cine
CINEMA
اعلان
anuncio
د کوڅې لأمپ
farola
کوڅه
calle
ټیکسي
taxi
د خوارو پلورنځی
quiosco
پیاده
peatón
پلې لاره
acera
د تیریدو لاره
cruce
د سړک څخه تیریدو لاره
paso de cebra
اشغالدانی (لوی)
contenedor de basura
د ترافیک څراغونه
semáforo

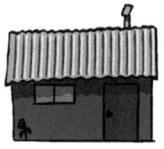

کوډله

cabaña

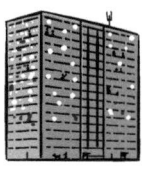

اپارتمان

apartamento

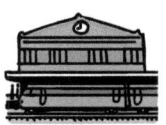

د ریل ستېشن

estación de tren

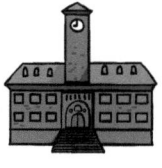

ټاون هال

ayuntamiento

MUSEUM

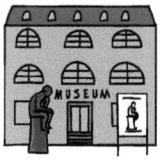

میوزیم

museo

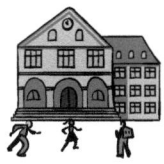

ښوونځی

escuela

پوهنتون

....

universidad

بانک

....

banco

روغتون

....

hospital

هوټل

....

hotel

درملتون

....

farmacia

دفتر

....

oficina

کتاب پلورنځی

....

librería

پلورنځی

....

tienda

د ګلانو پلورنځی

....

floristería

لوی پلورنځی

....

supermercado

مارکیټ

....

mercado

د ډیپارټمنټ سټور

....

grandes almacenes

کب پلورنځی

....

pescadería

د پلور مرکز

....

centro comercial

لنګرتون

....

puerto

پارک

parque

بینچ

banco

پل

puente

زینه

escaleras

د ځمکې لاندې

metro

تونل

túnel

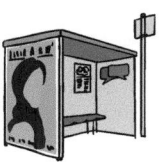

بس تمځای

parada de autobús

بار

bar

ریسټورانټ

restaurante

پوست بکس

buzón

د کوڅې نښه

poste indicador

د پارک کولو میټر

parquímetro

ژوبڼ

zoo

د لامبو حوض

piscina

مسجد

mezquita

کرونده

granja

ناپاکي

contaminación

هدیره

cementerio

چرچ

iglesia

د لوبو ډکر

patio de juego

معبد/کلیسا

templo

منظره

paisaje

پانه
hoja

د لارښوونې نښه
señal

لاره
camino

چمن
prado

کانی
piedra

ونه
árbol

هیکر
excursionista

سیند
río

واښه
hierba

ګل
flor

دره

valle

غوندی

colina

ناور

lago

ځنګل

bosque

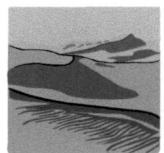

دشته

desierto

اورشیندی

volcán

کلا

castillo

رنګین کمان

arcoíris

مرخیړي

champiñón

پلم ونه

palmera

ماشي

mosquito

الوتل

mosca

میږی

hormiga

مچی

abeja

غوندلا/جولا

araña

ګونګټ

escarabajo

چونګښه

rana

نولی

ardilla

زیږکی

erizo

سوی

liebre

ګونګ

lechuza

مرغۍ

pájaro

قازه

cisne

نرخوګ

jabalí

هوسۍ

ciervo

ګاوزه

alce

بند

presa

بادي توربین

turbina eólica

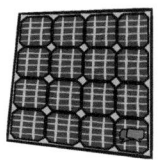

سولر تختي

panel solar

اقلیم

clima

ریسټورانټ

restaurante

پیشخدمت
camarero
مینو
menú
sil a
سوپ
sopa
پیزا
pizza
ښاخۍ، چاقو، کاشوغه
cubertería
mantel

ستارټر

primer plato

اصلي خواړه

plato principal

شیریني

postre

څښاک

bebidas

خواړه

comida

بوتل

botella

فاست فود

comida rápida

د کوڅې خواړه

comida callejera

چای جوش

tetera

قندانی

azucarero

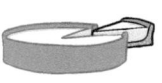

برخه

porción

اسپرسو مشین

cafetera expreso

لوړه چوکۍ

trona

رسید

cuenta

مجمه

bandeja

چاکو

cuchillo

پنجه

tenedor

قاشق

cuchara

چای قاشق

cucharilla

سورویت

servilleta

گلاس

vaso

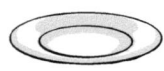

پلیټ

plato

د سوپ پلیټ

plato hondo

نالبکی

platillo

ساس

salsa

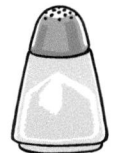

مالګه شیندونکی

salero

د مرچ ټکولو لوخی

molinillo de pimienta

سرکه

vinagre

غوړي

aceite

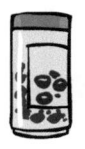 

مساله

especias

کچ اپ

ketchup

شرشم

mostaza

چکه

mayonesa

لوی پلورنځی
supermercado

oferta especial
پیرودونکی
cliente
لبنیات
lácteos
میوه
fruta
carro de la compra

قصابي
....
carnicería

نانوایی
....
panadería

وزن کول
....
pesar

سبزیجات
....
verduras

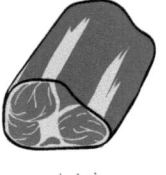

غوښه
....
carne

کنګل خواره
....
alimentos congelados

يخه غوښه

fiambres

کنسروا خواړه

conservas

د مينځلو پوډر

detergente en polvo

شيريني

dulces

کورني توليدات

productos de uso doméstico

د پاکولو محصولات

productos de limpieza

د پلور فرد

vendedora

د نغدي راجستر

caja

صراف

cajero

د پيرود ليست

lista de la compra

کاري ساعتونه

horario de atención al público

بټوه

cartera

کريديټ کارت

tarjeta de crédito

کڅوړه

bolsa

پلاستيک کڅوړه

bolsa de plástico

څښاک

bebidas

اوبه

agua

جوس

zumo

شيده

leche

کوک

cola

واين

vino

بير

cerveza

الکول

alcohol

ککاو

cacao

چای

té

کافي

café

اسپرسو

expreso

کپچينو

capuchino

خواړه

comida

کیله

....

plátano

مڼه

....

manzana

نارنج

....

naranja

هندواڼه

....

melón

لیمو

....

limón

ګازره

....

zanahoria

هوږه

....

ajo

بانکس

....

bambú

پیاز

....

cebolla

مرخیړي

....

champiñón

چغزی

....

avellanas

آش

....

fideos

سپیګټي

espagueti

وريجې

arroz

سلاد

ensalada

چپس

patatas fritas

سره کړي کچالو

patatas fritas

پيزا

pizza

همبرګر

hamburguesa

سانډویچ

sándwich

کتره

filete

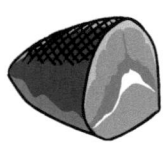

د پټون غوښه

jamón

سلمي

salami

ساسچ

salchicha

چرګ

pollo

روسټ

asado

کب

pescado

د وربشي شيرني

copos de avena

موسلي

muesli

د جوار پلی

copos de maíz

اوړه

harina

کروسانټ

cruasán

د ډوډۍ رول

panecillo

ډوډۍ

pan

ټوسټ

tostada

بسکيټ

galletas

کوچ

mantequilla

چکه

cuajada

کیک

pastel

هګۍ

huevo

پښې هګۍ

huevo frito

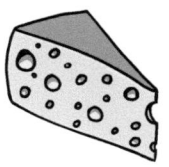

پنير

queso

آیس کریم

helado

بوره

azúcar

شهد

miel

مربا

mermelada

نوګاټ کریم

crema de turrón

کورکمان

curry

کرونده

granja

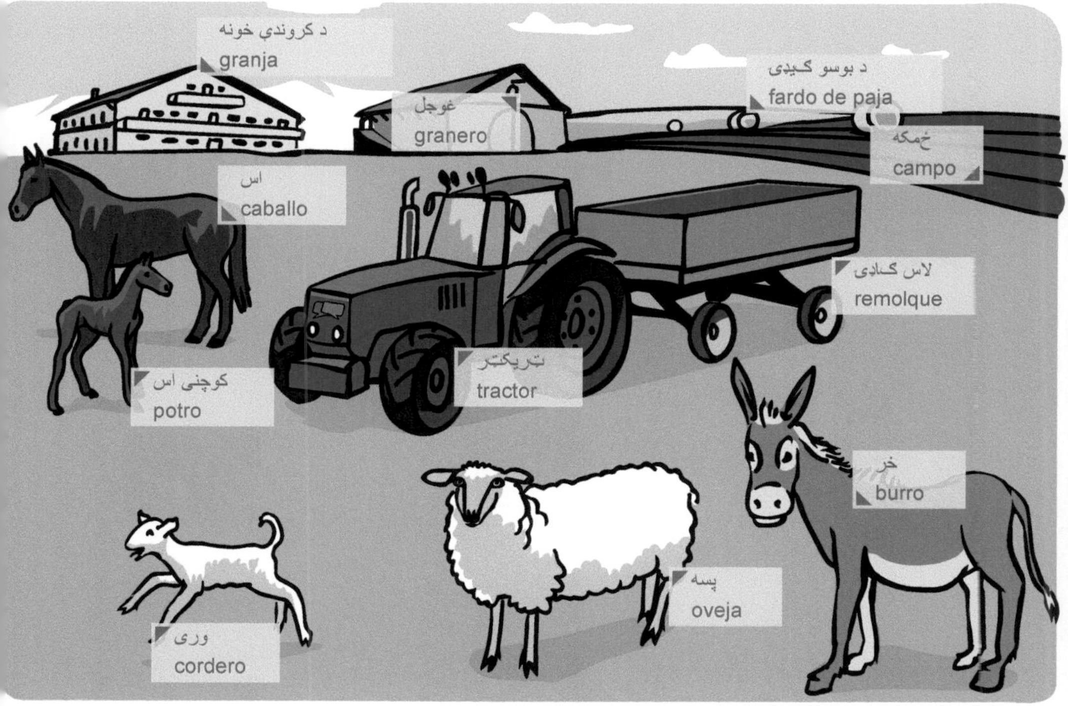

د کروندې خونه
granja
غوجل
granero
د بوسو ګېډۍ
fardo de paja
خمکه
campo
اس
caballo
لاس ګاډی
remolque
کوچنی اس
potro
ټریکټر
tractor
خر
burro
پسه
oveja
وری
cordero

وزه

cabra

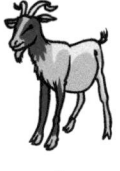

غوا

vaca

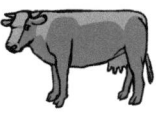

خوسکی

ternero

خوګ

cerdo

د خوګ بچی

cerdito

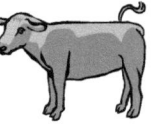

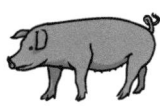

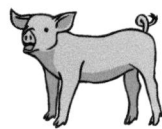

غویی

toro

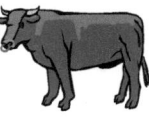

بته

ganso

هیلی

pato

چرګوری

pollo

چرګه

gallina

بانګي

gallo

سارای موږک

rata

پیشک

gato

موږک

ratón

غویی

buey

سپی

perro

د سپي خونه

perrera

د باغ هوز

manguera

د اوبو لوخی

regadera

لور (داس)

guadaña

یوی

arado

لور

hoz

رمبی

azada

ښاخی

horca

تبر

hacha

کراچی

carretilla

ناوه

abrevadero

د شیدو لوخی

lechera

جوال

saco

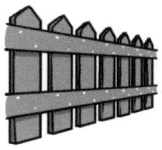

کټاره

valla

مضبوط

establo

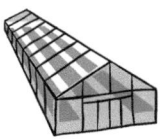

شنه خونه

invernadero

خاوره

suelo

تخم

semilla

سره/کود

fertilizador

کـد ریبونکی ماشین

cosechadora

زیرمه کول

cosechar

درمند

cosecha

خواږه کچالو

ñame

غنم

trigo

سویا

soja

کچالو

patata

جوار

maíz

نباتي تخم

semilla de colza

د میوي ونه

árbol frutal

مانیوک

mandioca

غله

cereales

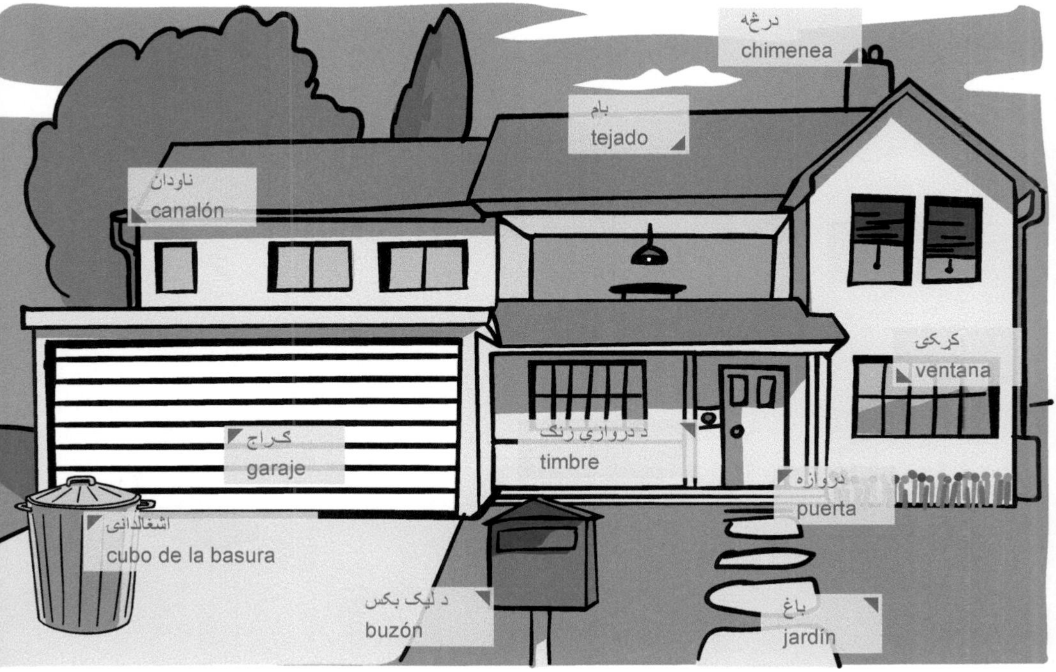

درشه
chimenea

بام
tejado

ناودان
canalón

کرکی
ventana

کراج
garaje

د دروازي زنګ
timbre

دروازه
puerta

اشغالدانی
cubo de la basura

د لیک بکس
buzón

باغ
jardín

د اوسیدو خونه
....
sala

حمام
....
cuarto de baño

پخلنځی
....
cocina

د ویده کیدو خونه
....
dormitorio

د ماشوم خونه
....
habitación de los niños

د خوارو خونه
....
comedor

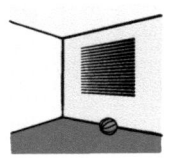

فرش

suelo

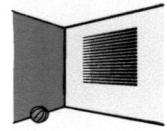

دیوال

pared

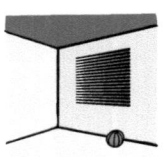

چت

techo

زيرخانه

sótano

سونا

sauna

بالكوني

balcón

ټراس

terraza

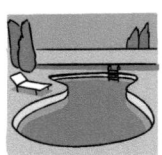

حوض

piscina

د چمن وهلو ماشين

cortacésped

شيټ

sábana

روجایی

colcha

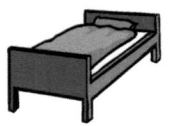

تخت

cama

جارو

escoba

بوکه

balde

سويچ

interruptor

د اوسيدو خونه

sala

والپیپر
papel pintado
عکس
imagen
لامپ
lámpara
شيلف
estante
الماری
armario
تلویزیون
televisión
نغری
chimenea
flor
بالښت
cojín
صوفه
sofá
ګلدانی
jarrón
ریموټ کنټرول
mando a distancia

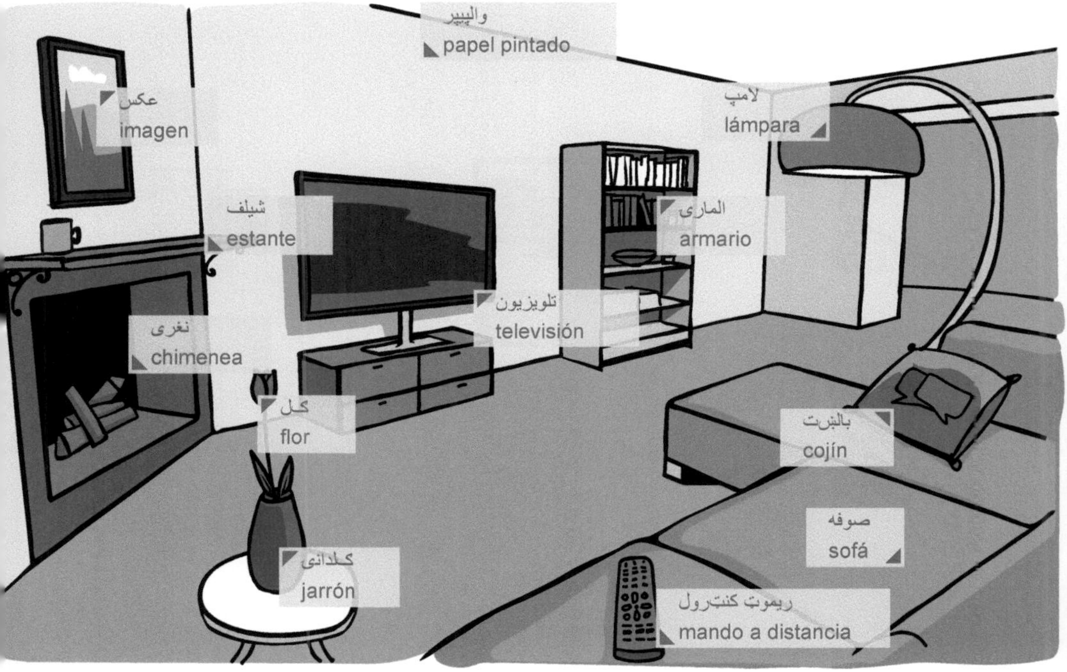

غالی

alfombra

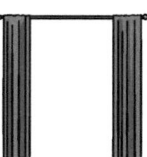

پرده

cortina

میز

mesa

چوکی

silla

تاویدونکي چوکی

mecedora

بازو لرونکی چوکی

butaca

کتاب

libro

کمپل

manta

ډیکوریشن

decoración

د اور لرګي

leña

فلم

película

هایفای

equipo de música

کلي

llave

ورځپاڼه

periódico

نقاشي

pintura

پوستر

póster

راډیو

radio

کتابچه

cuaderno

واکیوم جارو

aspiradora

کاکتوس

cactus

شمع

vela

پخلنځی
cocina

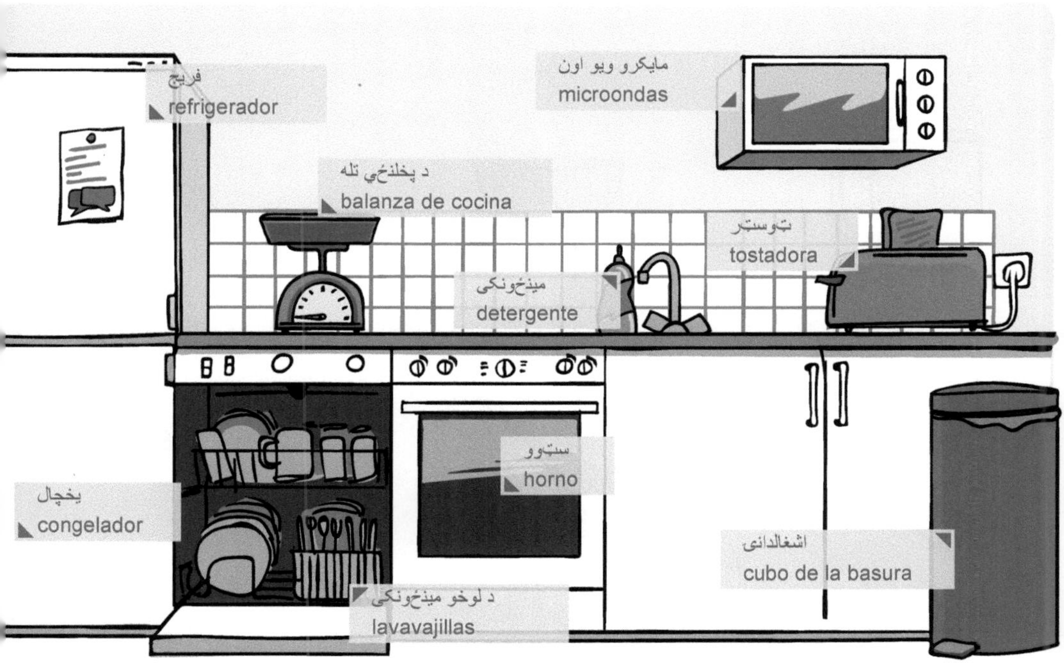

فریج
refrigerador
مایکرو ویو اون
microondas
د پخلنځي تله
balanza de cocina
ټوستر
tostadora
مینځونکی
detergente
سټوو
horno
یخچال
congelador
اشغالدانی
cubo de la basura
د لوخو مینځونکی
lavavajillas

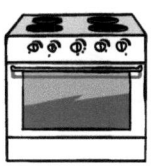

دیګ بخار

olla a presión

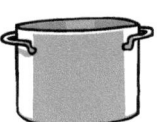

لوخی

olla

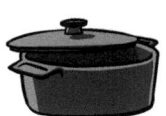

چدني لوخی

olla de hierro fundido

ووک

wok / karahi

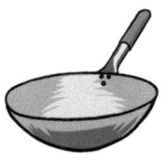

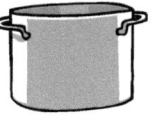

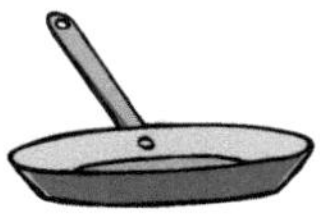

د تلي په

cazuela

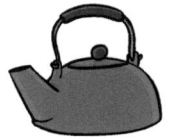

چای جوش

hervidor

د بخار دیګ
vaporera

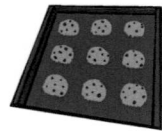

پتنوس
chapa de horno

لوخي
vajilla

مګ
taza

کاسه
tazón

د رانیولو اوزار
palillos

څمڅۍ
cucharón

کفګیر
espumadera

پاکونکی
batidor

صافي
colador

غلبیل
cedazo

ګریټر
rallador

اونګ
mortero

بار بي کيو
barbacoa

خلاص اور
hoguera

تخته

tabla de picar

هوارونکی

rodillo

کارک سکریو

sacacorchos

ټیم

lata

د ټیم خلاصونکی

abrelatas

د لوخي ټوټه

agarrador

ظرف شوی

lavabo

برس

cepillo

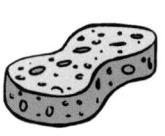

سپنج

esponja

بلیندر

batidora

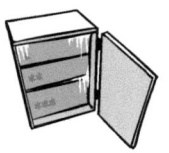

ژور یخچال

congelador

د ماشوم بوتل

biberón

نل

grifo

حمام

cuarto de baño

شاور
ducha
تودول
calefacción
جان پاک
toalla
د شاور پرده
cortina de la ducha
ببل حمام
baño de espuma
د حمام ټب
bañera
vaso
د مینځلو مشین
lavadora
نل
grifo
ټایلونه
baldosas
یو دول کمود
orinal
ظرف شوی
lavabo

تشناب
inodoro

فرشي کمود
inodoro rústico

کمود
bidé

د متیازو ځای
urinario

تشناب کاغذ
papel higiénico

د تشناب برس
escobilla del váter

د غاښونو برس
....
cepillo de dientes

د غاښونو کريم
....
pasta de dientes

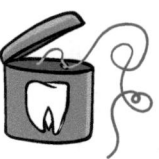

د غاښونو نخ
....
hilo dental

مينځل
....
lavar

لاسي شاور
....
ducha de mano

دوش
....
ducha íntima

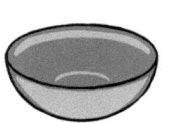

خانک
....
pila

د شا برس
....
cepillo de espalda

صابون
....
jabón

د شاور ژل
....
gel de ducha

شامپو
....
champú

فلانل جامه
....
toallita

وچول
....
desagüe

کريم
....
crema

سپرې
....
desodorante

آینه

....

espejo

لاسي آینه

....

espejo de tocador

ریزر

....

maquinilla de afeitar

د خریلو فوم

....

espuma de afeitar

د خریلو وروسته

....

loción postafeitado

ګمنځ

....

peine

برس

....

cepillo

د ویښتانو وچونکی

....

secador

د ویښتانو سپری

....

laca

میک اپ

....

maquillaje

لیپ سټیک

....

pintalabios

د نوکانو پالش

....

pintauñas

کاټن وری

....

algodón

ناخن ګیر

....

cortauñas

عطر

....

perfume

د مېنځلو کڅوړه

estuche de viaje

سټول

banqueta

د وزن کولو تله

balanza

د حمام پوښاک

albornoz

د ربړ دستکش

guantes de goma

ټامپون

tampón

صحيي جان پاک

compresa

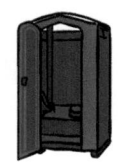

کيميکل تشناب

inodoro químico

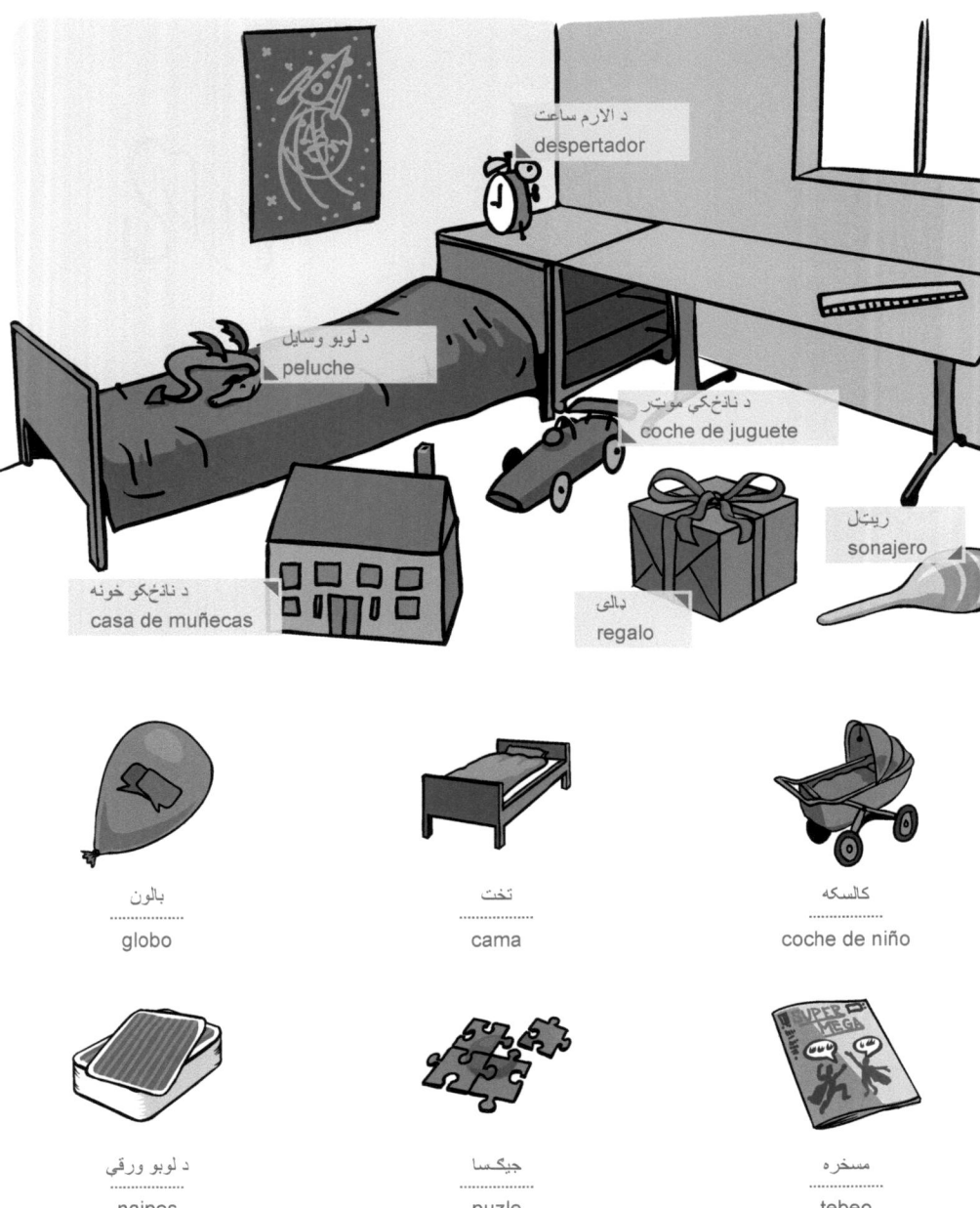

د ماشوم خونه

habitación de los niños

د الارم ساعت
despertador
د لوبو وسایل
peluche
د نانځکي موټر
coche de juguete
د نانځکو خونه
casa de muñecas
ډالۍ
regalo
ریټل
sonajero

بالون

globo

تخت

cama

کالسکه

coche de niño

د لوبو ورقې

naipes

جیګسا

puzle

مسخره

tebeo

ليګو بريک

piezas de lego

د نانځکو بلاک

bloques de juguete

د اکشن فيګور

figura de acción

د ماشوم پوښاک

bodi (de bebé)

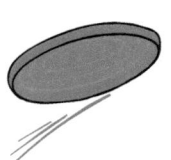

فريزبي

frisbee

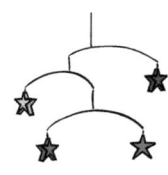

موبايل

colgador móvil para bebés

بورډ لوبه

juego de mesa

تاس

dados

ماډل ريل سيټ

circuito de tren eléctrico

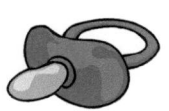

ګونګشی

maniquí

پارټي

fiesta

د عکسونو البوم

álbum de fotos

بال

pelota

نانځکه

muñeca

لوبيدل

jugar

د شګو کنده

cajón de arena

سوینګ

columpio

نانځکي

juguetes

د ویډیو لوبو کنسول

videoconsola

ټرای سایکل

triciclo

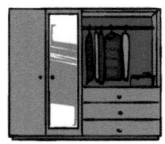

ګوډکه

oso de peluche

د کالو الماری

guardarropa

پوښاک

ropa

جرابي

calcetines

لوړي جرابي

medias

ټایټس

leotardos

زروکی
bufanda

چتری
paraguas

تی شرت
camiseta

کمربند
cinturón

بوټان
botas

سلپیر
zapatillas

سنیکر
deportivas

سیندل
sandalias

بوټان
zapatos

د ربر بوټان
botas de goma

زیرنیکري
slip

سینه بند
sostén

واسکټ
chaleco

بادي

bodi

پتلون

pantalones

جينز

vaqueros

لمن

falda

بلاوز

blusa

شرټ

camisa

بنيان

jersey

سويټر

suéter

بليزر

blazer

جاکټ

chaqueta

کوټ

abrigo

د باران کوټ

gabardina

پوښاک

traje

کالي

vestido

د واده پوښاک

vestido de novia

دریشي

traje

د شپې پوښاک

camisón

پاجامه

pijama

ساړي

sari

لوپټه

bandana

پټکی

turbante

برقه

burka

کفتن

caftán

عبا

abaya

د لامبو پوښاک

traje de baño

نیکر

bañador

شارټ

pantalones cortos

د ځغاستې پوښاک

chándal

پیش بند

delantal

دستکش

guantes

بټن

botón

عینک

gafas

لاس بند

brazalete

غاړه کۍ

collar

ګوتمه

anillo

غوږوالۍ

pendiente

خولۍ

gorra

کوټ بند

percha

خولۍ

sombrero

ټایۍ

corbata

ځنځیر

cremallera

هیلمیټ

casco

تړونکی

tirantes

د ښوونځي یونیفارم

uniforme escolar

یونیفارم

uniforme

بيب

babero

ګونګشی

maniquí

نيپي

pañal

دفتر

oficina

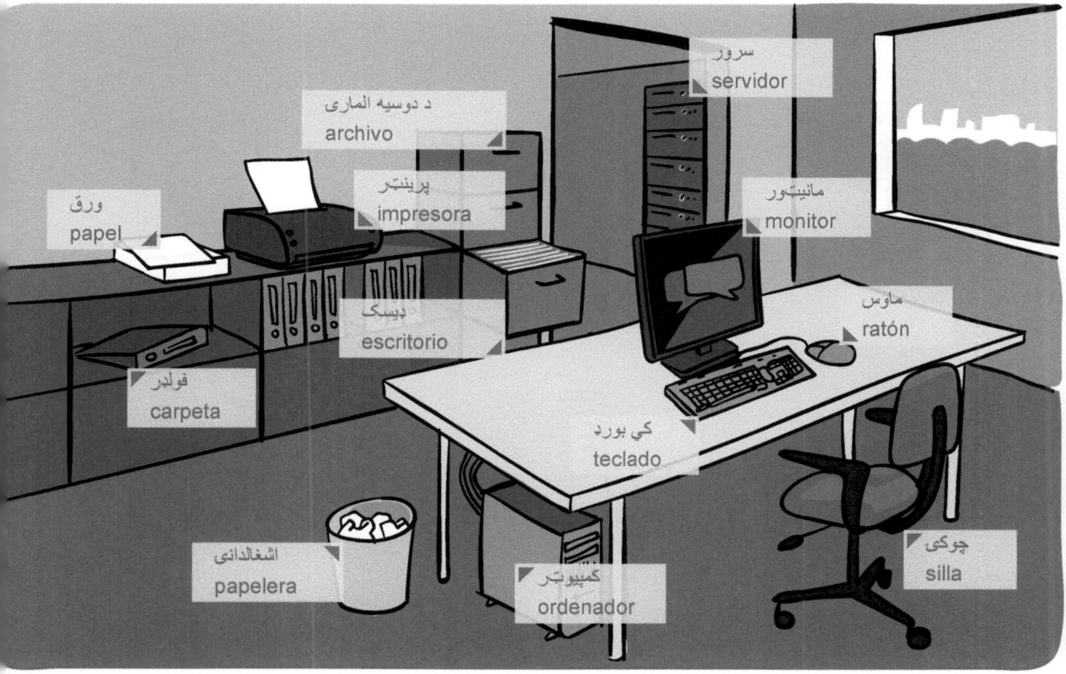

سرور
servidor
د دوسیه الماری
archivo
پرينټر
impresora
ورق
papel
monitor
ماوس
ratón
ډيسک
escritorio
carpeta
کي بورډ
teclado
اشغالدانی
papelera
کمپيوټر
ordenador
چوکی
silla

د کافي پياله

taza de café

کالکوليټر

calculadora

انټرنيټ

internet

لپ ټاپ

portátil

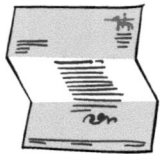

لیک

carta

پیغام

mensaje

موبایل

móvil

نیټورک

red

فوټوکاپیر

fotocopiadora

سافټویر

software

تلیفون

teléfono

پلک ساکټ

toma de corriente

فکس مشین

fax

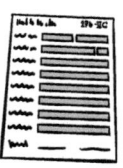

فارم

formulario

سند

documento

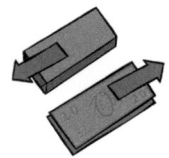

پیرل

comprar

تادیه کول

pagar

سوداګري کول

comerciar

پیسې

dinero

ډالر

dólar

یورو

euro

ین

yen

روبل

rublo

سویسي فرانک

franco suizo

رینمینبي یوان

renminbi yuan

روپۍ

rupia

د نغدي پیسو ځای

cajero automático

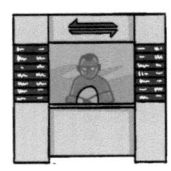

د اسعارو د تبادلي دفتر

....

oficina de cambio de divisas

سره زر

....

oro

سپین زر

....

plata

تیل

....

petróleo

انرژي

....

energía

نرخ

....

precio

قرارداد

....

contrato

مالیه

....

impuesto

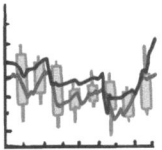

اسهام

....

acción

کار کول

....

trabajar

کارمند

....

empleado

کار گومارونکی

....

empleador

فابریکه

....

fábrica

پلورنځی

....

tienda

مسلکونه
oficios

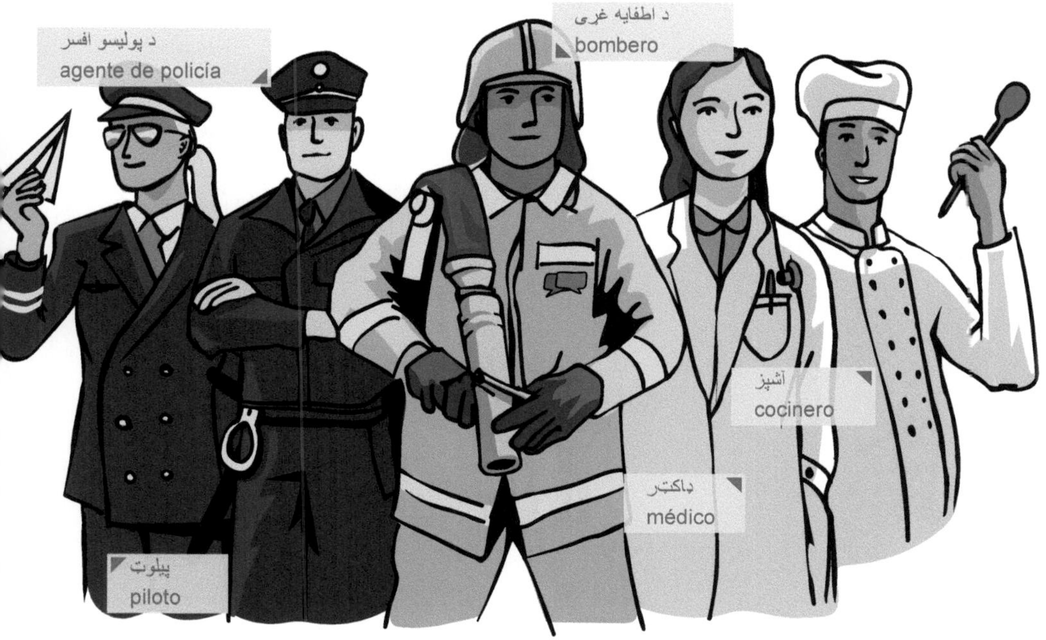

د پولیسو افسر
agente de policía
د اطفایه غری
bombero
آشپز
cocinero
ډاکټر
médico
پیلوټ
piloto

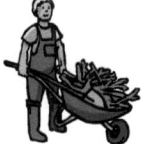

باغوان
jardinero

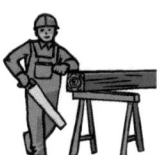

نجار
carpintero

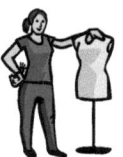

خیاط
costurera

قاضي
juez

کیمیا پوه
farmacéutico

د فلم لوبغاړی
actor

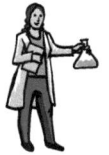

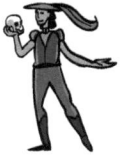

د بس ډرایور
....
conductor de autobús

د ټیکسي ډرایور
....
taxista

کب نیونکی
....
pescador

خدمه
....
señora de la limpieza

بام جوړونکی
....
techador

پیشخدمت
....
camarero

ښکاري
....
cazador

نقاش
....
pintor

نانوا
....
panadero

د برښنا کارکونکی
....
electricista

تعمیر جوړونکی
....
obrero

انجنیر
....
ingeniero

قصاب
....
carnicero

نلدوان
....
fontanero

پوست رسونکی
....
cartero

سرتیری

soldado

مهندس

arquitecto

صراف

cajero

مالیار

florista

نایی

peluquero

کلیندر

revisor

میکانیک

mecánico

کپتان

capitán

د غاښونو ډاکټر

dentista

ساینس پوه

científico

ښاغلی

rabino

امام

imán

مذهبي نفر

monje

پادري

sacerdote

لوازم
herramientas

پلاس
alicates
martillo
پیچکش
destornillador
څراغ
linterna
رینچ
llave

کنستونکی

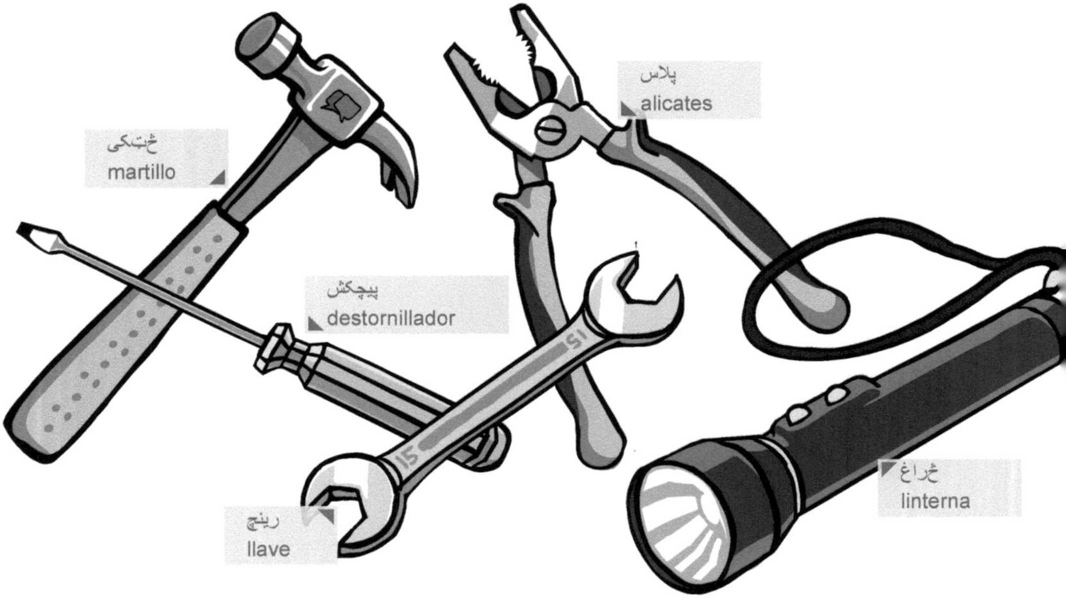

excavadora

د لوازمو بکس

caja de herramientas

زينه

escalera de mano

اره

sierra

ميخونه

clavos

برمه

taladro

ترميم كول

reparar

بيل

pala

لعنت!

¡Maldita sea!

خاک انداز

recogedor

مشوانۍ

bote de pintura

پیچونه

tornillos

د میوزیک آلات

instrumentos musicales

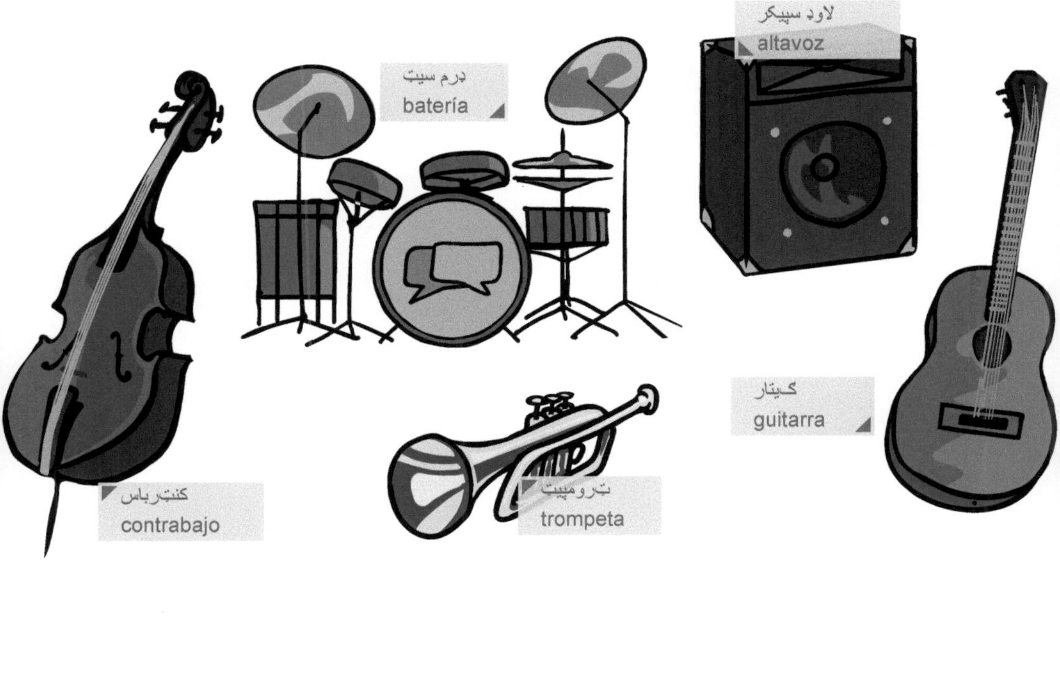

لاود سپیکر
altavoz

درم سیت
batería

کیتار
guitarra

کنټرباس
contrabajo

ترومپیت
trompeta

پیانو

piano

وایلن

violín

باس

bajo

نغاره

timbales

ډرمونه

tambor

کي بورډ

teclado

سیکسافون

saxofón

شپیلی

flauta

مایکروفون

micrófono

ژوبڼ

zoo

ننوتو لاره
entrada
پړانګ
tigre
پنجره
jaula
ګوره خر
cebra
د ژويو خواره
pienso
پاندا
panda

ژوی
....
animales

هاتي
....
elefante

کنګرو
....
canguro

د اوبو اسپ
....
rinoceronte

ګوريلا
....
gorila

ايږه
....
oso

اوښ

camello

شترمرغ

avestruz

زمری

león

بيزو

mono

غزی

flamingo

طوطي

loro

قطبي ايږه

oso polar

پينګوين

pingüino

شارک

tiburón

طاوس

pavo real

مار

serpiente

تمساح

cocodrilo

ژوبڼ ساتونکی

guardián de zoológico

سيل

foca

جګوار

jaguar

یابو
....
poni

پړانګ
....
leopardo

هیپو
....
hipopótamo

زرافه
....
jirafa

باز
....
águila

نرخوګ
....
jabalí

کب
....
pescado

شمشتی
....
tortuga

سمندري نولی
....
morsa

ګیدړه
....
zorro

هوسۍ
....
gacela

امریکایی فټبال
fútbol americano

سایکل ځغلول
ciclismo

ټېنیس
tenis

باسکیټبال
baloncesto

لامبو
natación

باکسینګ
boxeo

د کنګل هاکي
hockey sobre hielo

فټبال
....
fútbol

کسیزه
....
bádminton

د خغاستي لوبي
....
atletismo

د هندبال
....
balonmano

سکي
....
esquí

پولو
....
polo

فعاليتونه

actividades

خندل
reír

ټوپ وهل
saltar

غاړه ورکول
abrazar

کر خيدل
caminar

سندرې ويل
cantar

خوب ليدل
soñar

عبادت کول
rezar

مچو کول
besar

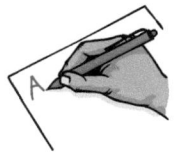

ليکل
....
escribir

کښل
....
dibujar

ښودل
....
mostrar

ټيله کول
....
empujar

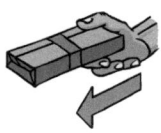

ورکول
....
dar

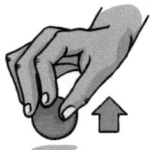

اخيستل
....
tomar

فعاليتونه - actividades   63

درلودل

tener

کول

hacer

پایبدل

ser

ودریدل

estar de pie

منډې وهل

correr

راکښل

tirar

گوزارل

tirar

لویدل

caer

څملاستل

yacer

انتظار کول

esperar

وړل

llevar

کښیناستل

estar sentado

پوښاک اغوستل

vestirse

ویده کیدل

dormir

پاڅیدل

despertar

کتل

mirar

ژړل

llorar

برید کول

acariciar

ګمنځ کول

peinar

خبري کول

hablar

پوهیدل

entender

غوښتل

preguntar

اوریدل

escuchar

څښل

beber

خوړل

comer

پاکول

ordenar

مینه کول

amar

پخلی کول

cocinar

موټر چلول

conducir

الوتل

volar

بیړی چلول

navegar

حساب

calcular

لوستل

leer

زده کول

aprender

کار کول

trabajar

واده کول

casarse

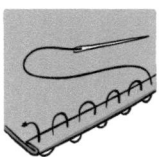

ګنډل

coser

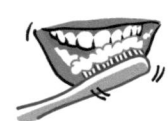

د غاښونو برس کول

cepillarse los dientes

وژل

matar

سګرټ څښل

fumar

لیږل

enviar

familia

نیا
abuela

نیکه
abuelo

پلار
padre

مور
madre

ماشووم
bebé

لور
hija

زوی
hijo

میلمه

invitado

ترور

tía

کاکا/ماما

tío

ورور

hermano

خور

hermana

بدن

cuerpo

تندی
frente
ojo
اوږه
hombro
dedo
مخ
cara
زنه
barbilla
لاس
mano
سینه
pecho
پښه
pierna
مټ
brazo

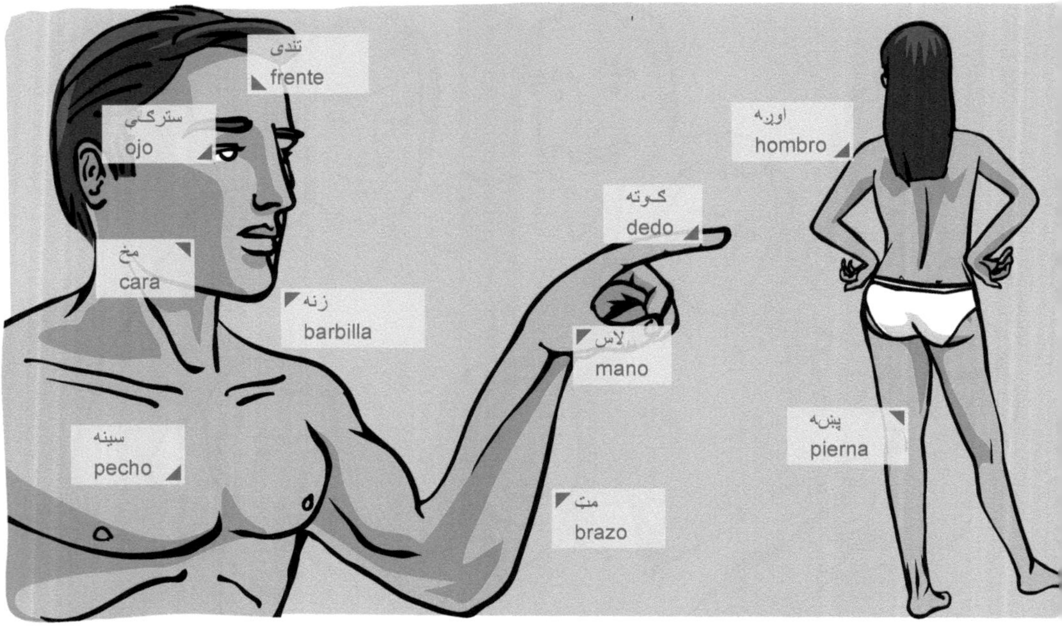

ماشوم

bebé

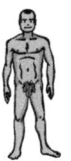

سړی

hombre

ښځه

mujer

انجلۍ

chica

هلک

chico

سر

cabeza

شا

espalda

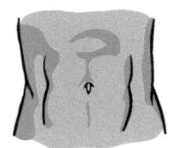

خیټه

vientre

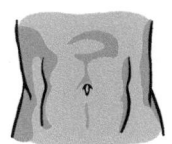

نوم

ombligo

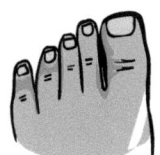

د پښې ګوته

dedo del pie

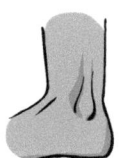

پونده

talón

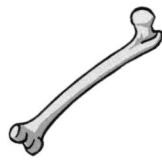

هډوکی

hueso

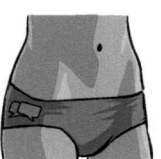

کوناټی

cadera

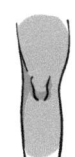

زنګون

rodilla

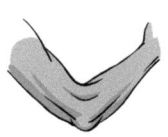

څنګل

codo

پوزه

nariz

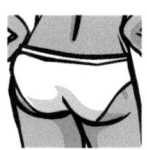

لاندې برخه

trasero

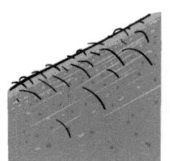

پوټکی

piel

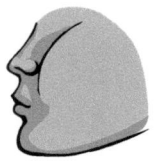

غومبوری

mejilla

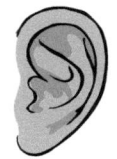

غوږ

oído

شونډه

labio

خوله
....
boca

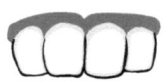

غاښ
....
diente

ژبه
....
lengua

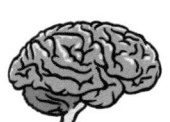

مغز
....
cerebro

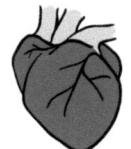

زړه
....
corazón

عضله
....
músculo

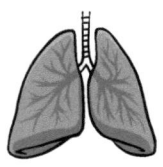

سږی
....
pulmón

ځيګر
....
hígado

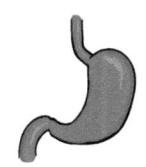

معده
....
estómago

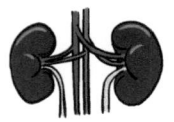

پښتورګي
....
riñones

جنسي نږدي والی
....
sexo

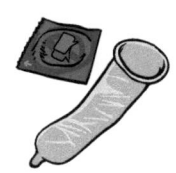

کاندوم
....
condón

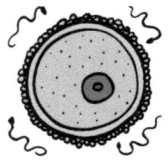

تخمه
....
ovario

مني
....
semen

حمل
....
embarazo

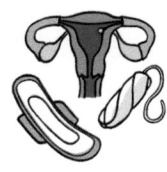

حيض

menstruación

مهبل

vagina

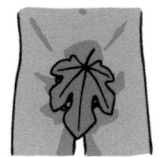

د نارينه تناسلي آله

pene

وروځى

ceja

ويښته

pelo

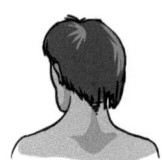

غاړه

cuello

روغتون

hospital

امبولانس
ambulancia
ويل چير
silla de ruedas
کسر
fractura

داکتر

médico

عاجل خونه

sala de urgencias

رنځورپال

enfermera

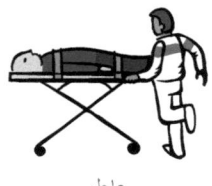

عاجل

urgencia

بي هوش

inconsciente

درد

dolor

تپ

lesión

وینه تویدل

hemorragia

د زړه حمله

infarto

ضرب

ictus

حساسیت

alergia

ټوخی

tos

تبه

fiebre

انفلوینزا

gripe

نس ناستی

diarrea

سر درد

dolor de cabeza

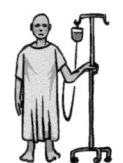

سرطان

cáncer

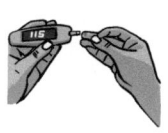

شکر

diabetes

جراح

cirujano

سکالپل

bisturí

عملیات

operación

سيټي

TAC

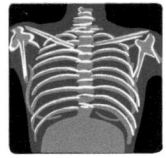

ایکس رې

rayos x

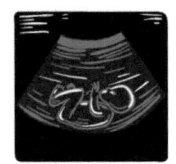

الټراساونډ

ultrasonido

د مخ ماسک

mascarilla

ناروغي

enfermedad

انتظار خونه

sala de espera

امسا

muleta

پلستر

tirita

بنداژ

venda

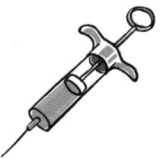

تزريق

inyección

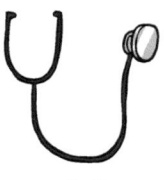

ستاتسکوپ

estetoscopio

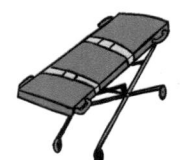

تسکيره

camilla

کلينکي ترماميټر

termómetro

زيږون

nacimiento

زيات وزن

sobrepeso

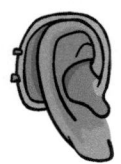

د اوریدو مرسته
....
audífono

د عفونیت څخه پاکونکي مواد
....
desinfectante

عفونیت
....
infección

ویروس
....
virus

ایچ.آی.وی/ایډز
....
VIH / SIDA

درمل
....
medicina

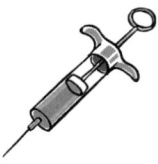

واکسین
....
vacunación

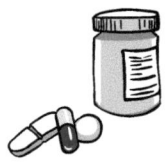

ټابلیټس
....
tabletas

ګولۍ
....
pastilla

عاجل تلیفون
....
llamada de urgencia

د وینې د فشار څارونکی
....
tensiómetro

ناروغ/روغ
....
enfermo / sano

عاجل
urgencia

مرسته!

....

¡Socorro!

الارم

....

alarma

يرغل

....

asalto

برید

....

ataque

خطر

....

peligro

عاجل لاره

....

salida de emergencia

اور!

....

¡Fuego!

د اور وژونکی

....

extintor de incendios

پيښه

....

accidente

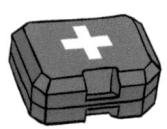

د لومړی مرستي لوازم

....

botiquín de primeros auxilios

ایس.او.ایس

....

SOS

پولیس

....

policía

ځمکه

tierra

اروپا

Europa

شمالي امريکا

Norteamérica

سهيلي امريکا

Sudamérica

افريقا

África

آسيا

Asia

آسټريليا

Australia

اتلانتيک

Atlántico

پاسيفيک

Pacífico

د هند بحر

Océano Índico

جنوبي منجمد بحر

Océano Antártico

د شمال قطب بحر

Océano Ártico

شمالي قطب

polo norte

سهيلي قطب
polo sur

انټارکټيکا
Antártida

ځمکه
tierra

ځمکه
tierra

بحر
mar

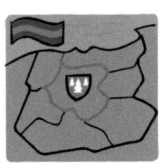

ټاپو
isla

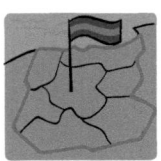

ملت
nación

دولت
estado

ساعت

hora(s)

د مخې ساعت

....

esfera

د ساعت ستنه

....

manecilla de las horas

د دقيقې ستنه

....

minutero

د ثانيې ستنه

....

segundero

څه وخت دی؟

....

¿Qué hora es?

ورځ

....

día

وخت

....

tiempo

اوس

....

ahora

ډیجیټل ساعت

....

reloj digital

دقيقه

....

minuto

ساعت

....

hora

semana

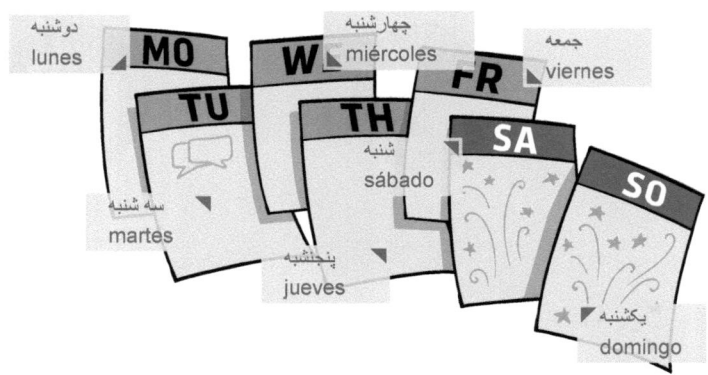

دوشنبه
lunes

چهارشنبه
miércoles

جمعه
viernes

شنبه
sábado

سه شنبه
martes

پنجشنبه
jueves

یکشنبه
domingo

پرون
ayer

نن
hoy

سبا
mañana

سهار
mañana

غرمه
mediodía

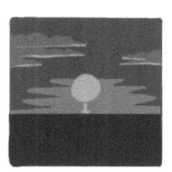

ماښام
tarde

MO	TU	WE	TH	FR	SA	SU
1	2	3	4	5	6	7
8	9	10	11	12	13	14
15	16	17	18	19	20	21
22	23	24	25	26	27	28
29	30	31	1	2	3	4

کاري ورځي
días laborables

MO	TU	WE	TH	FR	SA	SU
1	2	3	4	5	6	7
8	9	10	11	12	13	14
15	16	17	18	19	20	21
22	23	24	25	26	27	28
29	30	31	1	2	3	4

د اونۍ پای
fin de semana

كال

año

باران
lluvia
رنګین کمان
arcoíris
باد
viento
واوره
nieve
پسرلی
primavera
اوړی
verano
منی
otoño
ژمی
invierno

4.APRIL 11°
5.APRIL 4°
6.APRIL 13°
7.APRIL 8°
8.APRIL 10°

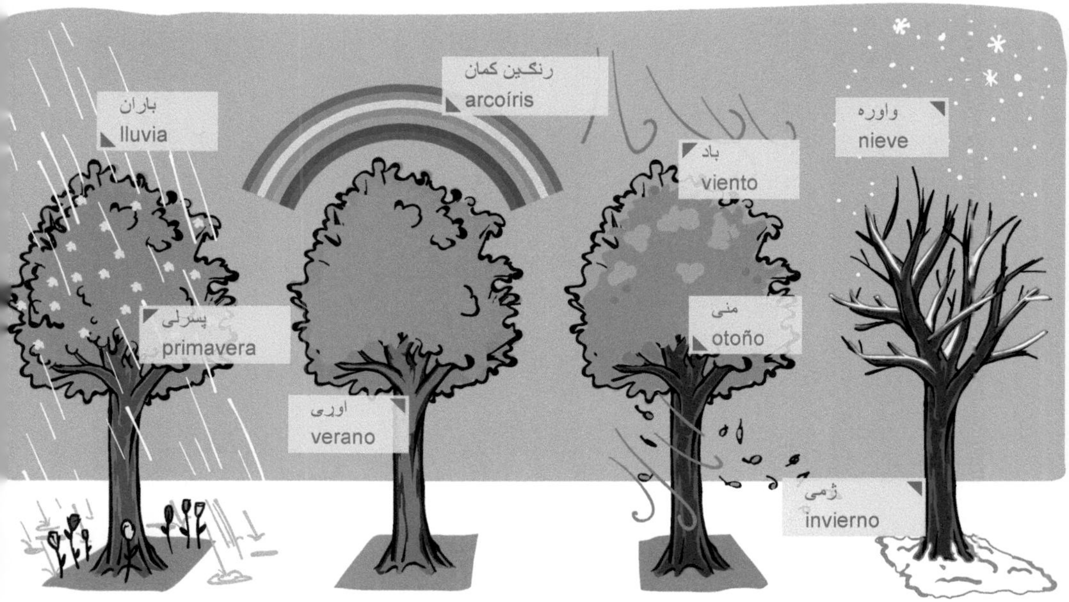

د موسم وړاندوینه
....
pronóstico del tiempo

F
C
120
90
60
30
0
-30
40
30
20
10
0
-10
-20

ترمومیټر
....
termómetro

د لمر وړانګې
....
sol

وریځ
....
nube

لړه
....
niebla

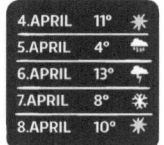

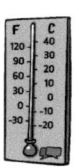

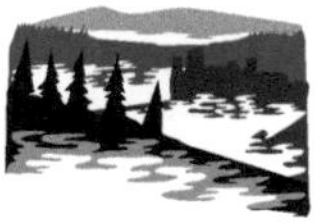

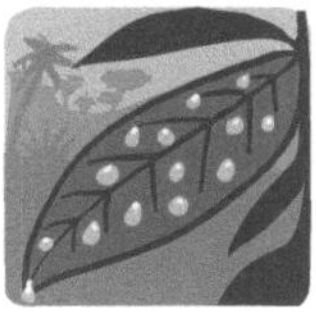

رطوبت
....
humedad

رڼا

rayo

تندر

trueno

توفان

tormenta

ږلی وریدل

granizo

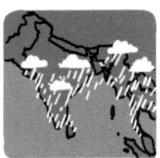

مون سون باران

monzón

سیلاب

inundación

یخ

hielo

جنوري

enero

فبروري

febrero

مارچ

marzo

اپریل

abril

می

mayo

جون

junio

جولای

julio

اګست

agosto

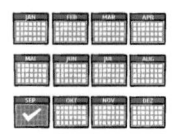

سپتمبر
....
septiembre

اکتوبر
....
octubre

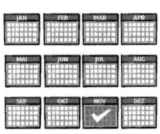

نومبر
....
noviembre

دسمبر
....
diciembre

شکلونه

formas

دايره
....
círculo

مربع
....
cuadrado

مستطيل
....
rectángulo

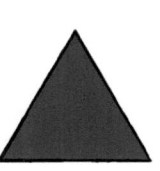

مثلث
....
triángulo

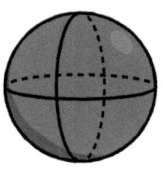

توپ
....
esfera

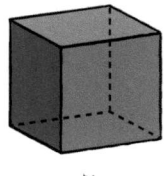

فال
....
cubo

رنګونه

colores

سپین

blanco

ژیړ

amarillo

نارنجي

anaranjado

ګلابي

rosa

سور

rojo

ارغواني

morado

نیلي

azul

شین

verde

نسواري

marrón

خړ

gris

تور

negro

خورا ډیر/خورا لږ
....
mucho / poco

قار/ارام
....
enojado / tranquilo

ښکلی/بدشکله
....
bonito / feo

پیل/پای
....
principio / fin

لوی/کوچنی
....
grande / pequeño

روښانه/تیاره
....
claro / oscuro

ورور/خور
....
hermano / hermana

پاک/ککړ
....
limpio / sucio

مکمل/نامکمل
....
completo / incompleto

ورځ/شپه
....
día / noche

مړ/ژوندی
....
muerto / vivo

پراخه/نری
....
ancho / estrecho

د خوراک وړ/نه خوړل کیدونکی

comestible / no comestible

بد/مهربان

malo / amable

پاریدلی/بې خونده

entusiasmado / aburrido

چاق/وچ

gordo / delgado

لومړی/وروستی

primero / último

ملګری/دښمن

amigo / enemigo

ډک/تش

lleno / vacío

سخت/نرم

duro / blando

درونډ/سپک

pesado / ligero

لوږه/تنده

hambre / sed

ناروغ/روغ

enfermo / sano

غیرقانوني/قانوني

ilegal / legal

هوښیار/ساده

inteligente / tonto

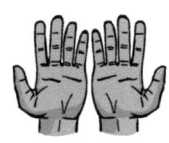

کیڼ/ښي

izquierda / derecha

نږدې/لرې

cerca / lejos

نوی/زوړ

nuevo / usado

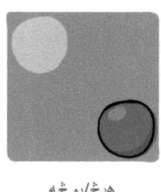

هیڅ/یو څه

nada / algo

بډا/ځوان

viejo / joven

چالان/بند

encendido / apagado

خلاصه/تړلی

abierto / cerrado

غلی/لوړ غږ

silencioso / ruidoso

بډایه/غریب

rico / pobre

صحیح/غلط

correcto / incorrecto

زیږ/ملایم

áspero / suave

خفه/خوش

triste / contento

لنډ/اوږد

corto / largo

سست/ګړندی

lento / rápido

لوند/وچ

húmedo / seco

ګرم/یخ

cálido / frío

جګړه/سوله

guerra / paz

números

0

صفر

cero

1

یو

uno

2

دوه

dos

3

درې

tres

4

څلور

cuatro

5

پنځه

cinco

6

شپږ

seis

7

اوه

siete

8

اته

ocho

9

نهه

nueve

10

لس

diez

11

یولس

once

12

دولس
....
doce

13

دیارلس
....
trece

14

څوارلس
....
catorce

15

پنځلس
....
quince

16

شپاړس
....
dieciséis

17

وولس
....
diecisiete

18

اتلس
....
dieciocho

19

نولس
....
diecinueve

20

شل
....
veinte

100

سل
....
cien

1.000

زر
....
mil

1.000.000

میلیون
....
millón

idiomas

انګلسي

inglés

امریکایی انګلسي

inglés americano

چینایی مندرین

chino mandarín

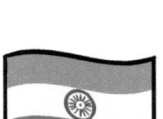

هندي

hindi

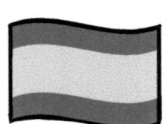

هسپانوي

español

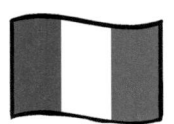

فرانسوي

francés

عربي

árabe

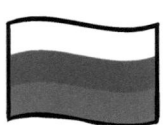

روسي

ruso

پرتګالي

portugués

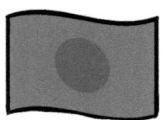

بنګالي

bengalí

آلماني

alemán

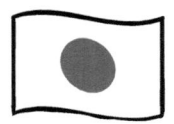

جاپاني

japonés

څوک/څه/څنګه
quién / qué / cómo

زه

yo

ته

tú

هغه/دغه/دا

él / ella / ello

موږ

nosotros/as

تاسي

vosotros/as

دوی/هغوی

ellos/as

څوک؟

¿quién?

څه؟

¿qué?

څنګه؟

¿cómo?

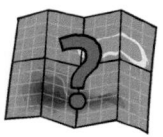

چيرې؟

¿dónde?

کله؟

¿cuándo?

نوم

nombre

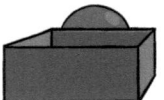

چیرې
dónde

شاته

detrás

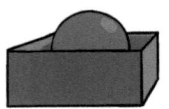

په

en

په مخه کي

delante de

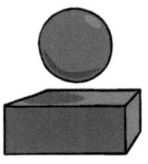

باندي

por encima de

په

sobre

لاندي

debajo de

برسيره پر

junto a

ترمینځ

entre

ځای

lugar